ELMAR

LANG EN GELUKKIG...

VERHALEN UIT DE WERELD
WAAR ALLES MOGELIJK IS

UITGEVERIJ ELMAR

Lang en gelukkig...
is een uitgave van
Uitgeverij Elmar BV, Rijswijk, november 2003
Samenstelling en vertaling/bewerking:
C.J. van Tilborch
Copyright © 2003 by Uitgeverij Elmar BV, Rijswijk
Omslagontwerp: Wil Immink

ISBN 90 389 1429 6
NUR 345

INHOUD

DE RODE KEIZER EN DE VAMPIER

Een rode keizer kocht voor tien lei etenswaren waarmee hij allerlei gerechten klaarmaakte. Hij zette al het lekkers in een kast, deed die op slot en gaf enkele mensen opdracht 's nachts op het eten te passen. Maar de volgende dag waren de schalen leeg. 'Zo,' zei de keizer, 'ik schenk de helft van mijn keizerrijk aan degene die zo goed op mijn kast past, dat er niets uit verdwijnt.'

Nu had deze keizer drie zonen. De oudste dacht: hemel, het is niet goed als hij de helft van het rijk aan een vreemde geeft. Ik zal zelf gaan oppassen. En dus zei hij: 'Vader, moge je lang leven. Waarom wil je de helft van het keizerrijk weggeven aan een vreemde? Laat mij de wacht houden.'

'Ik vind het best,' antwoordde de koning, 'maar ben je dan niet bang voor wat er kan gebeuren?'

'God zal me wel behoeden.'

De prins nam zijn positie als wachtpost in, legde zijn hoofd op een kussen en bracht zo de nacht door, tot het bijna ochtend werd. Toen stak er plotseling een hete wind op die hem slaperig maakte, zodat hij niet kon zien dat zijn babyzusje opstond, over de kop duikelde en veranderde in een wezen met vingernagels als zeisen en tanden als scheppen. Ze opende de kast en at naar hartelust. Vervolgens ging ze weer in de wieg liggen.

Toen de prins wakker werd, vertelde hij zijn vader dat hij niets had gezien. Zijn vader liep naar de kast, zag dat al het

eten weg was en riep kwaad: 'Ieder ander zou er meer van terecht hebben gebracht dan jij. Bij een ander zou er niets zijn
gestolen!'

Toen ging de middelste zoon naar zijn vader. 'Vader, moge
je lang leven, maar vanavond zou ík graag de wacht houden.'

'Ga, mijn zoon, en wees dapper.'

'Als God het wil.'

Hij ging naar de kamer en legde zijn hoofd op het kussen
te rusten. Zo tegen een uur of tien stak er een brandend hete
wind op en werd hij door slaap overmand. Toen stond zijn
kleine zusje, die een vampier was geworden, op en maakte
haar luier los. Ze duikelde over de kop en haar tanden werden
als scheppen en haar vingernagels zo groot en scherp als sikkels. Ze liep naar de kast, maakte hem open en at alles op wat
ze maar kon vinden. Daarna wikkelde ze zich weer in haar
luiers en ging in haar wieg liggen.

Toen de ochtend aanbrak, stond de jongen op, maar zodra
hij bij zijn vader kwam, zei deze: 'Ieder ander zou dapperder
zijn geweest dan jij en zou hebben gezorgd dat ik geen scha-
de leed, maar zo'n mislukkeling als jij...'

Op dat moment kwam de jongste zoon, Peter, naar voren.
'Moge je lang leven, vader. Sta me toe vanavond de wacht te
houden bij de kast.'

'Doe dat, mijn zoon, en wees niet bang voor wat je kan
overkomen!'

'Gods wil geschiede,' antwoordde de jongen.

Hij nam vier naalden en prikte die op vier verschillende
plekken in het kussen. Elke keer wanneer hij door slaap overmand dreigde te raken, werd hij door een van de naalden gestoken en sprong hij weer overeind. Zo ging het door tot tien
uur. Toen kwam zijn zusje uit de wieg. De jongen zag hoe ze
over de kop duikelde, hoe haar tanden scheppen werden en
haar nagels sikkels. Ook nu weer liep ze naar de kast en at ze
alle schalen leeg. Toen duikelde ze opnieuw over de kop en

werd weer zo klein als ze daarvoor was geweest, zodat ze in haar wieg paste.

De jongen had alles gezien en verloor bijna zijn verstand, zo bang was hij. Tot de ochtend aanbrak, leken de uren wel jaren te duren. Toen stond hij op en ging naar zijn vader. 'Moge je lang leven, vader.'

'Heb je iets gezien, Peter?'

'Ik heb iets gezien, maar ik heb ook niets gezien. Geef me een paard en zoveel geld als het paard kan dragen, want ik wil graag trouwen.'

De jongen bond de zakken met geld op zijn paard en reed de stad uit. Op een plek waar een jeneverbesstruik groeide, groef hij een gat in de grond. Hij maakte een stenen kist, legde al zijn geld erin en begroef hem. Daarop plaatste hij een stenen kruis op de plek en trok verder. Acht jaar lang zwierf hij rond, tot hij bij de keizerin van de mussen kwam, de heerseres over alle vogels.

'Waar kom je vandaan, Peter?' vroeg ze hem, 'en waar wil je heen?'

'Naar een plek waar geen dood en geen ouderdom bestaan, daar wil ik trouwen.'

'Hier is geen dood en geen ouderdom,' antwoordde de keizerin van de mussen.

'Hoe komt dat?' vroeg Peter en de vogel antwoordde: 'Pas wanneer ik al deze bomen en al deze bossen heb doorboord met gaten, komen de ouderdom en de dood me halen.'

'Vandaag een en morgen een en zo verder, tot de ouderdom en de dood uiteindelijk toch een keer komen,' verklaarde Peter.

En dus reed hij verder en verder, nog eens acht jaar lang, tot hij een boerderij bereikte die van koper was. Uit de boerderij kwam een meisje tevoorschijn dat hem omhelsde en kuste. 'Och, wat heb ik lang op je gewacht!' zei ze. Ze nam het paard bij de teugels en leidde het naar de stal.

Die nacht bleef Peter daar, maar de volgende dag zadelde hij zijn paard al weer. Het mooie meisje begon te huilen en vroeg: 'Waar wil je heen, Peter?'

'Naar een plek waar geen dood en geen ouderdom bestaan.'

'Hier bestaan geen dood en geen ouderdom,' antwoordde het meisje.

'Waarom niet?' wilde hij weten.

'De dood en de ouderdom zullen pas komen wanneer al deze bergen van bomen zijn ontdaan en al deze wouden zijn gekapt.'

'Nee, dit is niet de plek die ik zoek,' zei de jongeman. En weer trok hij verder.

Plotseling zei zijn paard: 'Geef mij vier zweepslagen en jezelf twee, zodat we op het veld van het verlangen terechtkomen. Wanneer het verlangen je echter vastgrijpt en je van mijn rug probeert te gooien, geef me dan de sporen en haast je verder. Maar blijf in vredesnaam niet staan.'

Zo bereikte de prins een klein huisje. Daar woonde een jongetje van ongeveer tien jaar oud. 'Wat zoek je hier, Peter?' vroeg het kind.

'Ik zoek een land waar geen dood en geen ouderdom bestaan.'

'Hier bestaan geen dood en geen ouderdom, want ik ben de wind,' antwoordde het jongetje.

'Hier ga ik nooit meer weg,' zei Peter.

Hij bleef daar honderden jaren lang en hij werd niet ouder. Terwijl hij daar verbleef, ging hij op jacht in de bergen van goud en zilver, maar hij bracht nauwelijks wild mee naar huis. 'Peter,' waarschuwde de wind hem, 'je mag over alle bergen van goud en zilver trekken, maar kom niet op de berg van het verlangen en in het dal van het verdriet!'

Maar Peter luisterde niet en ging toch naar de berg van verlangen en naar het dal van verdriet. Daar greep het verdriet hem vast en gooide hem op de grond. En Peter huilde tot zijn ogen overstroomden van tranen.

'Nu ga ik naar het huis van mijn vader terug, want hier wil ik niet langer blijven,' zei hij tegen de wind.

'Je vader is al lang dood. Ook van je broers leeft er niet een meer. Er zijn inmiddels misschien al miljoenen jaren verlopen. Niemand weet meer waar het huis van je vader ooit heeft gestaan. Daar groeien nu meloenen. Ik ben er nog geen uur geleden voorbijgeraasd.'

Toch trok de jongeman weg en weer kwam hij bij het meisje dat in de koperen boerderij woonde. Slechts één stuk hout moest ze nog klein hakken, maar ze was inmiddels al heel oud geworden. Precies op het moment dat hij op haar deur klopte, viel het stuk hout uit haar hand en stierf ze. Hij begroef haar en trok verder.

Toen bereikte hij de keizerin van de mussen. In de onafzienbare bossen was nog slechts één tak over waarin ze geen gat had gemaakt. Zodra ze hem zag, zei ze: 'Wat ben je jong gebleven, Peter!'

'Zoals je ziet. En jij wilde nog wel dat ik bij jou bleef!' Toen ook de laatste tak was doorboord, viel het vogeltje op de grond en stierf. Peter begroef haar en trok verder.

Ten slotte bereikte hij de plek waar ooit het huis van zijn vader had gestaan. Hij keek om zich heen, maar er viel geen huis meer te bekennen. Tot zijn verbazing stond er helemaal niets meer. Alleen de bron van het paleis was er nog. Toen hij erheen liep kreeg zijn vampierzusje hem in het oog en ze krijste: 'Op jou wacht ik al heel lang, jij hond!' En ze stortte zich op haar broer om hem op te vreten. Maar Peter sloeg snel een kruis, waarop ze verdween.

Hij klom op zijn paard en reed door tot hij bij de jeneverbesstruik kwam. Daar stond een oude man met een baard die tot zijn gordel reikte. 'Oude man,' zei Peter, 'waar bevindt zich het hof van de rode keizer, want ik ben zijn zoon.'

'Ach jongen, wat zeg je daar? Ben jij de zoon van de rode keizer? De vader van mijn vader heeft me ooit verteld over een rode keizer. Nu is er echter geen stad meer. Zie je dan niet dat alles verlaten is? En jij wilt beweren dat je de zoon bent van de rode keizer?'

'Er zijn nog geen twintig jaar verlopen sinds ik het huis van mijn vader heb verlaten. En jij wilt beweren dat je mijn vader niet kent?' vroeg de jongen verbaasd. Er waren echter miljoenen jaren verlopen sinds hij van huis was weggetrokken. 'Kijk maar eens hier als je me niet gelooft,' zei Peter.

Hij liep naar het stenen kruis waarvan nog slechts een handbreedte boven de grond uit stak. Hij moest twee dagen lang graven voordat hij op het kistje met geld stuitte. Toen hij het uit de diepte omhoog haalde en opende, zat de dood in elkaar gehurkt in de ene hoek en de ouderdom in de andere.

'Haal hem, dood,' zei de ouderdom.

'Nee, haal jij hem!'

Daarop werd hij gegrepen door de ouderdom en direct daarna ook door de dood. De oude man met de baard begroef hem netjes en zette een kruis op Peters graf. Zijn geld en zijn paard nam hij mee.

(Zigeunersprookje)

SOMS MOET JE KUNNEN WACHTEN

Drie vrienden gingen eens samen op jacht. Ze heetten Cecco, Federico en Antonio. Toen ze tegen de avond bij een viersprong kwamen, stelde Cecco voor: 'Laten we allemaal een andere weg inslaan. We zullen de omgeving verkennen en morgen op dezelfde tijd elkaar hier op dit punt weer treffen.' De andere twee gingen met dit plan akkoord. Ze schudden elkaar ten afscheid de hand en gingen elk een andere kant op.

Vriend Federico zag op zijn weg een lichtschijn door de bomen schemeren. Hij ging erop af en kwam bij een statig huis. Zelfverzekerd klopte hij op de deur. Een aantrekkelijk meisje keek uit het raam: 'Wie klopt er aan mijn deur?'

'Een arme jager vraagt u om onderdak voor de nacht.'

De deur ging open en Federico werd door een bediende naar de kamer van de jonge vrouw gebracht.

'Hoe kom je in dit bos terecht?'

'Ik ben verdwaald. Ik heb vandaag geen geluk bij de jacht. En in de liefde evenmin.'

'Wat dat laatste betreft, daarin ben ikzelf ook niet erg gelukkig,' antwoordde het meisje. 'Maar laten we niet over tegenslagen spreken, maar liever aan het avondeten gaan.'

Ze tikte met haar staf op de vloer en vanuit het niets verscheen plotseling een tafel die rijkelijk was voorzien van de heerlijkste gerechten. Het tweetal at gezamenlijk en aan het einde van de maaltijd zei de gastvrouw: 'Nu ben ik moe en wil ik graag gaan slapen. Ik moet je echter zeggen dat er hier in huis slechts één bed is. Wil je dat met mij delen?'

Niets ter wereld wat Federico liever deed. Zo snel en gemakkelijk had hij nog nooit gekregen wat hij wilde. De vrouw nam hem mee naar haar slaapkamer. Daar kleedde ze zich uit en glipte ze onder de dekens. Haar gast wilde net hetzelfde doen, toen ze zei: 'Wil je even de deur naar het toilet hiernaast dichtdoen? Het ruikt anders zo akelig.'

Federico deed de deur dicht, maar deze sprong direct weer open. Hij probeerde het nog een keer en nog een keer, maar het resultaat was steeds hetzelfde, zodat Federico knap ongeduldig werd. Had hij aanvankelijk de deur nog zachtjes dichtgeduwd, al snel smeet hij hem met al zijn kracht toe. Maar hoeveel kracht hij ook gebruikte, het duivelse ding sprong steeds opnieuw weer uit het slot. Tot aan de ochtendschemer bleef hij het proberen, maar zonder succes. Daarna werd hij met vriendelijke woorden weer op pad gestuurd.

Toen de vrienden elkaar op de afgesproken plek troffen, vertelden ze stuk voor stuk hoe het hen was vergaan. De gefrustreerde minnaar zei dat hij in een afgelegen huis in het bos een mooie vrouw had getroffen. Maar verder deed hij er het zwijgen toe.

'Die wil ik ook wel eens ontmoeten,' zei Cecco. Hij ging naar het huis, waar alles precies zo verliep als bij Federico. Het spreekt vanzelf dat ook Cecco dacht een gemakkelijk pleziertje te hebben met het onbekende meisje. Alleen deze keer verlangde het lieflijke stemmetje vanuit het bed iets anders: 'Wil je het raam even goed dichtdoen. Anders tocht het zo.'

Dat wilde hij graag voor haar doen. Wie zal het echter nog verbazen wat er vervolgens gebeurde? Het raam sprong weer open. Hij sloot het nog ettelijke keren, maar direct

vlogen beide vleugels weer wijd open. De hele nacht sloof-
de Cecco zich tevergeefs uit. Bij het aanbreken van de dag
had hij geen oog dichtgedaan, laat staan dat hij had gekregen wat hij zo graag had genomen. Toen werd ook hij
vriendelijk maar beslist het huis uitgekeken.

'Zo, hoe is het je bij de mooie dame vergaan?' vroeg Antonio zijn vriend toen ze weer bij elkaar waren.

'Ach, geweldig. Nog veel beter dan ik had durven dromen,'
loog Cecco.

'Dan moet ik mijn geluk ook maar een keer beproeven!'
Antonio begaf zich naar het huis in het bos, waar de dingen
hetzelfde verloop hadden als bij zijn vrienden. De uitnodi-
ging voor het avondeten wilde hij echter afslaan.

'Alsjeblieft, maak voor mij geen drukte. Ik kan ook in de
keuken eten, bij de bedienden.'

Zijn gastvrouw drong echter aan. De toverstaf deed zijn
werk en het tweetal liet zich de maaltijd goed smaken. Na het
eten zei het meisje: 'Het is al laat. Ik ben moe en ik wil nu
graag gaan slapen. Je zult mijn bed met me moeten delen,
want het is het enige hier in huis.'

'Laat mij maar hier in deze stoel slapen,' antwoordde Antonio. 'Dat is voor mij goed genoeg.'

Zo goed en zo kwaad als het ging, maakte hij het zich gemakkelijk voor de nacht. Toen hij de volgende ochtend wakker werd, stond de vrouw des huizes in haar mooiste kleren
voor hem: 'Je bent een eerlijk man,' zei ze. 'De anderen waren
slechts uit op eigen genoegen, maar jij hebt mijn eer geres-
pecteerd. Jouw vrouw wil ik zijn.'

Daar had Antonio niets op tegen. De toverstaf bracht een
schitterende koets met voornaam geklede bedienden tevoorschijn. Daarmee reden ze naar de stad, naar de familie
van de bruidegom, waar een vrolijk bruiloftsfeest werd gevierd. Zo werden Antonio en het meisje uit het bos een gelukkig paar.

Toen zijn vrienden hem vroegen hoe hij de zaak voor elkaar had gebracht, antwoordde hij alleen maar:

'Wie de ander in het nauw wil drijven,
zal vaak met lege handen blijven.'

(Sprookje uit Toscane)

DE EENOGIGE REUS
OP DE BERG KINGIGTOQ

Er bestaat een sage waarin wordt verhaald dat er ooit zo'n groot gebrek heerste in Igdlueruneq dat de mensen zo verzwakt waren van de honger, dat niemand nog zijn slaapbank verliet. Er was er echter ééntje, die voor allen op jacht ging en dat was een klein weesjongetje. Als hij een sneeuwhoen ving, deelde hij zijn vangst altijd met zijn buren en als hij twee sneeuwhoenders ving, waren ze zo blij alsof hij twee zeehonden mee naar huis had gebracht. Veel kregen ze allemaal niet, maar alle kleine beetjes waren welkom.

Op een dag ging hij zoals gewoonlijk op jacht, maar hij zwierf de hele dag rond zonder iets levends tegen te komen. Toen de avond al begon te vallen, bereikte hij uiteindelijk de berg Kingigtoq. Hij klom naar boven, maar ook op de top van de berg was geen sneeuwhoen te bekennen. De schemering viel in, maar hij durfde niet zonder jachtbuit thuis te komen.

Toen hij nog eens goed om zich heen keek, zag hij een huis, en dat verbaasde hem in hoge mate, want voor zover hij wist had daar nooit een huis gestaan. Hij liep erheen, en omdat er geen mens te bekennen viel glipte hij naar binnen.

Daar trof hij een reus aan. Deze zag er net zo uit als een gewoon mens, maar dan met één oog. De reus was niet minder verbaasd over deze ontmoeting dan de weesjongen.

'Wil je misschien iets eten?' vroeg de reus vriendelijk. 'Ga toch zitten.'

Daarop liep hij naar buiten en haalde een grote hoeveelheid gedroogd vlees.

'Eet maar zo veel je op kunt,' zei hij en zette de jongen het vlees voor. Die at tot hij niet meer kon, maar toch was de berg vlees niet zichtbaar minder geworden, zo veel was het.

'Nu moet je hier ook blijven overnachten. Morgenochtend, als je bent uitgerust, kun je weer naar huis gaan. Ga maar lekker slapen, je hoeft nergens bang voor te zijn.'

Zo bracht de jongen de avond en de nacht door in het huis van de reus. Toen hij de volgende ochtend aanstalten maakte om weer naar huis te gaan, gaf de reus hem zo veel vlees mee als hij maar kon dragen.

'Als je thuis aankomt en je buren willen van dit vlees gaan eten, zeg ze dan dat ze er in geen geval een stuk spek bij mogen eten, ook al hebben ze er nog zo'n trek in. Zelfs geen heel klein stukje. Als ze dat namelijk wel doen, zul je me nooit meer terug kunnen vinden, hoe ijverig je ook naar me zoekt. Als jullie mijn raad echter opvolgen, dan zul je me altijd kunnen vinden, zo vaak als je mij nodig hebt.'

Daarop vertrok de jongen en toen hij thuiskwam, was de blijdschap groot. Allen hielden zich aan de aanwijzingen van de reus, maar toch waren er waarachtig een paar oude vrouwtjes die over spek begonnen te zeuren: 'I-i-i, als we er toch een klein beetje spek bij konden eten, een heel klein stukje maar.'

Toen de anderen hen echter zo hoorden smoezen, scholden ze hen uit en zorgden dat ze van het spek afbleven.

Een paar dagen later ging de jongen opnieuw de berg op naar de reus. Hij vond het huis, ging naar binnen en werd nog hartelijker verwelkomd dan de vorige keer. Onder de slaapbank zag hij een reusachtig ribstuk liggen, dat helemaal wit was van het heerlijkste vet. 'Ik heb een enorme qapiarfik gevangen,' zei de reus en wees op het ribstuk.

De reus sneed een stuk van het vlees af en bereidde een lekkere maaltijd.

'Veel aanspraak heb ik hier boven niet, dus blijf toch vanavond hier,' drong de reus aan. En dat deed de jongen.

Tegen de avond begon de reus zich klaar te maken voor het angakoqfeest. 'Vanavond wordt er in Equtit een groot angakoqfeest gegeven en dat wil ik niet missen. Kom toch mee,' nodigde hij de jongen uit.

Het was minstens twaalf mijl naar Equtit en daarom was de jongen niet erg enthousiast over dit voorstel.

'We zullen er zeker nog voor de ochtend aankomen,' stelde de reus hem gerust toen hij merkte dat de ander aarzelde en daarop ging de jongen op zijn voorstel in. Zo maakten ze zich reisvaardig, de eenogige reus trok zijn mooiste kleren aan en legde de jongen uit wat hij moest doen.

'Je moet je aan mijn nek vasthouden en je ogen dichtdoen, want als je ze openhoudt, word je zo duizelig dat je maag zich omdraait en dan val je naar beneden.'

Daarop liepen ze samen naar een afgrond – op de hoogste top van de berg Kingigtoq – en daar beval de reus de jongen zich stevig aan zijn nek vast te klampen. Vervolgens begon de eenogige reus met zijn armen te slaan en in een cirkel rond te lopen, als een vogel die weg wil vliegen. En inderdaad, hij steeg op. De jongen kneep zijn ogen dicht. Een hevig gesuis en geraas alsof hij zich midden in een storm bevond, was alles wat hij van de tocht merkte.

'We zijn al in Equtit,' zei de reus. De jongen had het gevoel dat hij nog maar nauwelijks één keer had kunnen ademhalen, zo snel was het gegaan. Hij deed zijn ogen een klein stukje open en zag diep, diep beneden zich enkele zwarte puntjes, dat waren de huizen van Equtit. Vervolgens zeilde de reus met cirkelvormige bewegingen naar beneden.

'In dat huis daar wordt het angakoqfeest gehouden,' zei hij en wees op een groot, helder verlicht huis. Hij strekte zijn armen wijd uit en gleed met vleugelslagen door de lucht als een grote vogel die wil neerstrijken. Voordat de jongen het wist, stonden ze al voor het huis.

Toen ze binnenkwamen, was alles al in gereedheid gebracht voor het geestenbezweringsfeest. Het feest duurde de hele nacht. De belangrijkste tovenaars zongen en vertoonden hun toverkunsten, waarbij de een de ander afloste. Pas toen de ochtend al aanbrak, vlogen ze terug naar de berg Kingigtoq.

'Nu moet je eerst gaan slapen,' zei de reus. 'Rust maar lekker uit, dan kun je later op de dag naar huis gaan.'

De jongen volgde zijn advies op en bleef bij hem. Toen hij uiteindelijk weg wilde gaan, kreeg hij zo veel qapiarfikvlees mee als hij maar kon dragen. De reus stelde echter weer dezelfde voorwaarde als de eerste keer: als ze ook in de toekomst iets van zijn voorraad wilden hebben, mocht niemand spek bij het vlees eten.

Toen de jongen thuis aankwam, waren de verbazing en de blijdschap groot.

'Heb je een rendier geschoten?' riepen de mensen door elkaar heen.

'Nee,' antwoordde de jongen, 'de reus op de top van de berg Kingigtoq heeft een qapiarfik gevangen.'

Opnieuw vertelde hij wat de reus als voorwaarde had gesteld en hij verzocht zijn dorpsgenoten dringend om verstandig te zijn. 'Want,' zo benadrukte hij, 'we hebben al veel van hem gekregen en hij zal ons nog veel meer geven als we ons maar aan zijn voorwaarden houden.'

Daarop begonnen ze allen gretig te eten. Het ging echter niet anders dan de eerste keer. Een paar oude vrouwen waren ontevreden en begonnen erover te zeuren hoe heerlijk het zou zijn om er een stukje spek bij te eten. Toen de anderen dat hoorden, werden ze boos en scholden de vrouwtjes uit.

Plotseling klonk er buiten echter een geweldige slag. Het huis trilde op zijn grondvesten en de raamkozijnen vielen eruit. Achter de rug van de anderen had één van de vrouwtjes toch stiekem een stukje spek in haar mond gestopt. Nu stond de reus voor het raam en riep met donderende stem: 'Jullie verdienen mijn hulp niet, jullie ondankbaren die mijn woorden in de wind hebben geslagen. Nooit zal iemand van jullie mijn huis nog terug kunnen vinden, al zoeken jullie nog zo goed.'

Weg vloog hij, en alles wat ze nog van hem hoorden was een gesuis in de lucht.

Sindsdien zocht de jongen nog vaak naar het huis van de reus – maar er was zelfs geen blok turf meer terug te vinden op de plek waar het had gestaan.

Hiermee is deze geschiedenis ten einde.

(Eskimosprookje)

DE STUKGEDANSTE SCHOENEN

Er was eens een koning die twaalf dochters had, de een nog mooier dan de ander. Hun twaalf bedden stonden bij elkaar in een zaal en wanneer ze gingen slapen, werden de deuren afgesloten en vergrendeld, maar toch waren elke ochtend hun schoenen stukgedanst en niemand wist waar ze waren geweest en wat er zich had afgespeeld.

Toen liet de koning verkondigen dat degene die kon uitzoeken waar zijn dochters 's nachts dansten, een van hen als zijn vrouw mocht uitkiezen. Bovendien zou hij dan na de dood van de koning zelf koning worden. Wie zich echter aanmeldde en er niet in slaagde na drie dagen en drie nachten het raadsel op te lossen, die had zijn leven verspeeld.

Al snel verscheen er een koningszoon. Hij werd goed ontvangen en 's avonds naar de kamer gebracht die voor de slaapzaal van de twaalf prinsessen lag. Daar stond zijn bed en daar moest hij opletten waar ze heengingen om te dansen. Om te voorkomen dat ze heimelijke streken uithaalden of op een andere plek de slaapzaal verlieten, werd de deur opengelaten. De prins viel echter in slaap en toen hij de volgende ochtend wakker werd, waren de prinsessen alle twaalf uit dansen geweest, want hun schoenen hadden gaten in de zolen. De tweede en de derde avond ging het niet anders en vervolgens werd hem zijn hoofd afgehakt. En zo kwamen er nog velen die zich meldden voor het waagstuk, maar ze schoten er stuk voor stuk hun leven bij in.

Nu gebeurde het dat een arme soldaat, die gewond was geraakt en niet meer kon dienen, in de stad kwam waar de koning woonde. Daar kwam hij een oude vrouw tegen die hem vroeg waar hij heenging. 'Dat weet ik zelf eigenlijk nog niet goed,' antwoordde hij, 'maar ik heb wel zin om koning te worden en uit te zoeken waar die prinsessen hun schoenen stukdansen.'

'Ach,' antwoordde de oude vrouw, 'zo moeilijk is dat niet. Je moet alleen niet van de wijn drinken die een van de meisjes je 's avonds brengt en je moet ook net doen alsof je vast in slaap bent gevallen.' Vervolgens overhandigde ze hem een cape en zei: 'Wanneer je deze omslaat, ben je onzichtbaar en kun je achter de twaalf prinsessen aan sluipen.'

Toen de soldaat deze goede raad had gekregen, werd het plan hem ernst en dus vatte hij moed en ging naar de koning om zich aan te melden. Hij werd net zo hartelijk ontvangen als de anderen en kreeg koninklijke kleren.

Toen het die avond tijd werd om te gaan slapen, werd hij naar de kamer die voor de slaapzaal lag gebracht en net toen hij in bed wilde stappen, kwam de oudste prinses bij hem en reikte hem een beker wijn. Hij goot de beker stilletjes leeg, ging in bed liggen en begon na enige tijd flink te snurken, alsof hij in diepe slaap lag. De twaalf prinsessen hoorden hem en lachten en de oudste zei: 'Ook die had beter zijn leven kunnen sparen!' Daarop stonden ze op, openden hun kasten, kisten en dozen en haalden er de prachtigste kleren uit. Ze doften zich op voor de spiegels, sprongen in het rond en verheugden zich op het bal.

De jongste prinses verzuchtte: 'Ik weet het niet, jullie zijn net zo vrolijk als anders, maar ik heb een vreemd voorgevoel, er zal zeker iets mis gaan.' Maar de oudste lachte haar uit en zei: 'Jij domme gans, jij bent altijd bang. Ben je soms vergeten hoeveel prinsen al tevergeefs hier zijn geweest? Die soldaat had ik niet eens een slaapdrankje hoeven brengen, die was toch niet wakker geworden.'

Toen ze allemaal klaar waren, keken ze eerst nog eens bij de soldaat, maar die bewoog zich niet. Overtuigd dat de kust veilig was, liep de oudste prinses naar haar bed en klopte ertegen. Het verzonk in de vloer en daarop ging er een luik in de grond open.

De soldaat keek toe hoe de een na de ander afdaalden, de oudste voorop. Hij besefte dat hij geen tijd te verliezen had en dus richtte hij zich op, sloeg zijn cape om zijn schouders en daalde achter de jongste aan af in de grond. Midden op de trap stapte hij echter eventjes op haar jurk.

Het meisje schrok en riep: 'Er klopt iets niet, iets houdt mijn jurk vast!'

'Stel je toch niet zo aan,' zei de oudste, 'je bent beslist aan een of ander uitsteeksel blijven hangen.'

Toen ze beneden waren aangekomen, bevonden ze zich in een schitterende bomenlaan. Alle bladeren waren van zilver en glinsterden en glansden. De soldaat bedacht dat hij wel een bewijsstuk wilde meenemen en brak een takje af, maar toen klonk er een geweldige knal uit de boom. Weer was het de jongste prinses die ongerust was: 'Er klopt echt iets niet, jullie hebben die knal toch wel gehoord, zoiets is nog nooit eerder gebeurd.' De oudste zuster antwoordde echter: 'Dat zijn vreugdeschoten omdat we onze prinsen nu weldra zullen hebben verlost!'

Ze liepen inmiddels in een bomenlaan waar alle bladeren van goud waren en daarna kwamen ze in een laan waar alle blaadjes van zuiver diamant waren. Elke keer brak de soldaat een takje af en elke keer klonk er een knal waarbij de jongste prinses ineenkromp van schrik, maar de oudste bleef erbij dat het vreugdeschoten waren.

Ze kwamen bij een groot water waarop twaalf bootjes dreven en in elk bootje stond een knappe prins. Ze hadden op de twaalf meisjes gewacht en elke prins nam een prinses bij zich. De soldaat ging met de jongste mee in het bootje, zodat haar prins opmerkte: 'Ik ben toch net zo sterk als anders, maar vandaag lijkt de boot veel zwaarder en ik heb al mijn kracht nodig om te roeien.'

'Dat zal wel aan het warme weer liggen,' zei de jongste prinses, 'ik vond het vandaag aldoor al zo heet.'

Aan de overkant van het water stond een schitterend, helder verlicht kasteel waaruit vrolijke muziek klonk van pauken en trompetten. Daar roeiden ze heen. Ze gingen het kasteel binnen en elke prins danste met zijn prinses. De soldaat danste onzichtbaar mee en wanneer een van de meisjes een beker wijn pakte, dronk hij die leeg, zodat er niets meer inzat wanneer ze de beker naar haar mond bracht. De jongste prinses werd er angstig van, maar de oudste bracht haar tot zwijgen.

Zo dansten ze door tot drie uur in de ochtend, tot al hun schoenen kapot waren gedanst en ze wel moesten ophouden. De prinsen roeiden de meisjes terug en deze keer ging de soldaat in het bootje van de oudste prinses zitten. Aan de oever namen ze afscheid, en de prinsessen beloofden de volgende nacht terug te komen.

Toen ze bij de trap kwamen, liep de soldaat vooruit, kroop in zijn bed en snurkte weer luid toen het twaalftal moe en langzaam naar boven kwam trippelen.

'Zie je wel, van hem hebben we niets te vrezen,' zeiden ze tegen elkaar. Ze trokken hun mooie kleren uit, borgen ze op, zetten hun stukgedanste schoenen onder hun bed en gingen slapen.

De volgende ochtend besloot de soldaat niets te zeggen omdat hij liever nog meer wilde zien van de wonderlijke gebeurtenissen en dus ging hij ook de tweede en de derde nacht mee. Alles gebeurde net als de eerste keer en telkens dansten ze tot hun schoenen uit elkaar vielen. De derde nacht nam hij ook nog een beker mee als bewijsstuk. Toen het moment kwam waarop hij zich moest verantwoorden, nam hij de drie takjes en de beker mee en trad voor de koning, terwijl de twaalf prinsessen achter de deur stonden te luisteren wat hij zou zeggen.

Toen de koning vroeg: 'Waar dansen mijn twaalf dochters hun schoenen 's nachts stuk?' antwoordde de soldaat: 'In een onderaards kasteel, samen met twaalf prinsen,' en daarop vertelde hij alles en haalde zijn bewijsstukken tevoorschijn. De koning ontbood zijn dochters en vroeg hun of de soldaat de waarheid had gesproken. Ze beseften dat ze verraden waren en dat ontkennen niets hielp en daarom vertelden ze alles.

De koning vroeg de soldaat wie hij tot vrouw wilde hebben en hij antwoordde: 'Ik ben niet zo jong meer, geef me daarom de oudste.' Nog dezelfde dag werd het huwelijk gevierd en werd hem verzekerd dat hij na de dood van de koning het rijk zou verkrijgen. De prinsen werden voor net zoveel dagen vervloekt, als ze nachten met de twaalf prinsessen hadden gedanst.

(Sprookje van de gebroeders Grimm)

ADAM EN EVA

De meeste mensen zeggen dat zaterdag de zesde dag van de week is omdat God op de zevende dag rustte om zijn schepping in ogenschouw te nemen. Nu kan het op zaterdag de zevende geweest zijn dat hij man en vrouw schiep, maar als je goed om je heen kijkt lijkt het er meer op dat hij de eerste man en de eerste vrouw op vrijdag de dertiende heeft bedacht.

Maar goed, vrijdag of zaterdag, God zette ze op de wereld. En daarna maakte hij een mooie tuin en een leuk huis met een koele kelder.

'Adam en Eva,' zei hij, 'dit is het dan. Pak je spullen en ga daar wonen,'

'Dank je wel, God,' zei Eva.

'Een ogenblikje nog, God,' zei Adam, 'waar moet ik de huur van betalen? Je hebt nog geen geld gemaakt.'

God antwoordde: 'Maak je daar maar geen zorgen over. Dit huis is een cadeau voor jou en je vrouwtje.'

En dus trokken Adam en Eva erin en begonnen het zich gemakkelijk te maken. En meteen was er al ruzie.

'Adam,' zei de vrouw, 'haal hout en steek de kachel aan. Dan hang ik de gordijnen op.'

'Waarom steek jij de kachel niet aan? Jij bent net zo sterk als ik. De Heer heeft geen van ons tweeën sterker gemaakt dan de ander. Waarom zou ik de lastige karweitjes moeten opknappen?'

'Omdat er mannenwerk en vrouwenwerk is,' zei Eva. 'Ik denk er niet aan het zware werk te doen. Dat hoort niet.'

'Volgens wie hoort dat niet?' vroeg Adam. 'Wie kan het trouwens zien? We hebben toch geen buren.'

Eva begon te stampvoeten en zei: 'Dat we geen buren hebben is nog geen reden je achter hun rug om te misdragen.'

'Als dat niet typisch de redenering van een vrouw is...' verzuchtte Adam. Hij ging zitten, sloeg zijn armen over elkaar en zei: 'Nee, ik steek de kachel niet aan. En daarmee uit.'

Maar toen timmerde Eva hem zo op zijn gezicht dat Adam achterover viel als een kalf dat door de bliksem getroffen werd. Hij krabbelde overeind en wierp zich op haar. Ze sloegen en stompten elkaar, vochten als kat en hond, totdat het huis eruitzag alsof er een wervelwind doorheen was gegaan. Maar geen van de twee kon de ander de baas, want God had beiden evenveel kracht gegeven.

Toen ze na een tijdje allebei uitgeput waren, begon Eva te grienen en in het rond te stampen en te schreeuwen: 'Waarom behandel je me zo? Zelfs een hond wordt beter behandeld dan ik.'

Adam spuugde een tand uit en probeerde zijn blauwe oog – met dank aan Eva – open te doen. 'Als ik een hond had die me zo toetakelde,' zei hij, 'zou ik hem meteen afmaken.'

Maar Eva hield niet op met grienen en haar tranen maakten de lakens helemaal nat, dus sloop Adam maar naar buiten. Hij voelde zich heel gemeen. Hij sloop om het rookhuis heen en dacht na over wat hem te doen stond. Toen kwam hij God tegen.

'Wel, Adam. Is er iets niet in orde met het huis? Het is het eerste dat ik gemaakt heb en dan wil er nog weleens een foutje inzitten.'

Adam schudde zijn hoofd. 'Het huis is best in orde, God, ik zou niet weten wat eraan mankeert.'

'Waarom ben je dan zo treurig?'

'Om je de waarheid te zeggen,' mompelde Adam, 'je hebt Eva net zo sterk geschapen als mij. Dat kan niet goed gaan. Zo heb ik helemaal niets aan haar.'

God fronste zijn voorhoofd. 'Adam,' zei hij, 'wil je kritiek op God uitoefenen? Alleen omdat jullie even sterk zijn? Dat is juist goed.'

Maar Adam was zo kwaad dat hij zich niet kon inhouden. Hij zei: 'God, zij en ik... wij zijn toch helemaal niet hetzelfde.'

'Pas op, Adam, je twist met God.'

'God, zoals je zegt zijn we gelijk in lichaamskracht. Maar die vrouw heeft nog andere wapens om mee te strijden. Ze huilt en stampvoet en schreeuwt totdat ik me een ploert voel. Ik houd dat niet uit. Als dat zo doorgaat, dan voorzie ik nu al dat die Eva steeds haar zin wil doordrijven en dat ik altijd de vervelende karweitjes zal moeten doen.'

'Hoe zou ze op dat idee gekomen zijn?' vroeg God zich af, en hij deed alsof hij diep nadacht. 'Je hebt toevallig niet een klein rood mannetje met een vork om het huis zien sluipen?'

'Nee. Maar ik heb haar vanochtend in de moestuin wel met iemand horen praten. Ze zei dat ik de wind had gehoord. Maar een rood mannetje, nee, dat heb ik niet gezien. Wie zou dat moeten zijn geweest?'

'Maak je maar geen zorgen. Vergeet het maar.'

'Nou,' zei Adam, 'die ruzies met dat vrouwmens maken me wel doodmoe. Ik zou je erg dankbaar zijn als je mij wat sterker zou willen maken dan mijn vrouw. Dan kan ik tegen haar zeggen: doe dit en doe dat. En als ze er geen zin in heeft, geef ik haar een pak slaag. En als ze af en toe een pak slaag krijgt, doet ze wel wat haar gezegd wordt.'

'Dat zal ik doen,' beloofde God. 'En wel nu. Kijk maar eens naar je armen.'

Adam keek naar zijn armen. Die waren eerst zacht en rond. Geen spieren te zien. Maar nu kwamen ze opzetten als zoete aardappelen. Zijn borstkas was opeens als een ton. Zijn buik als een wasbord en zijn benen zo stevig, dat hij er bijna zelf bang van werd.

'Hartelijk dank, beste God!' zei Adam. 'Nu zal ik dat vrouwtje eens even wat respect bijbrengen.' En hij liep naar huis en ging door de achterdeur naar binnen. Eva zat in de schommelstoel. Ze keek nog steeds lelijk. Zei geen woord toen Adam binnenkwam. Ze staarde hem alleen maar aan. Toen deed ze een greep in de houten kist en pakte er een stok uit. 'Gooi die stok weg!' zei Adam.

'Waarom zou ik? Voor jou? Jij met je grote mond!' En bij die woorden sprong ze overeind en probeerde met de stok Adam op zijn hoofd te slaan. Adam nam haar lachend de stok af en gooide die naar buiten. Toen gaf hij haar achteloos een tik, zodat ze dwars door de kamer zeilde. 'We zullen eens zien wie hier wie slaat, schat!' zei hij.

'Ik struikelde,' zei Eva beteuterd. 'En dat je me geslagen hebt, daar zul je voor boeten!'

Ze liep op hem af, trapte en krabde. Adam tilde haar op en gooide haar op de grond. 'Ben je alweer gestruikeld?' vroeg hij toen ze uitgeteld in de hoek van de kamer lag. Eva probeerde weer tot de aanval over te gaan, maar Adam tilde haar gewoon weer op en wierp haar op het bed. Vervolgens liet hij zijn vlakke hand op haar welgevormde achterwerk neerkomen. Met zijn ene hand gaf hij haar een pak slaag; met de andere hield hij haar in bedwang.

Na een tijdje zei Eva: 'Alsjeblieft, Adam, schat, houd op. Kom schat, niet meer slaan.'

'Ben ik hier de baas of niet?'

'Ja, schat. jij bent de sterkste. Jij bent de baas.'

'Zo is dat. God heeft mij kracht voor twee gegeven. Van nu af aan kun je maar beter oppassen, vrouw. Wat je net hebt meegemaakt was eigenlijk maar kinderspel. De volgende keer speel ik het spel echt.'

Hij gaf Eva een zetje en zei: 'Bak nu maar eens een lekker visje voor me.'

'Ja schat. Onmiddellijk.'

Maar Eva was slim genoeg om even te talmen tot Adam een dutje deed. Toen ging ze de tuin in, naar de oude appelboom met het gat tussen de wortels. Ze keek om zich heen of er niemand was die haar zag. Toen stak ze haar hoofd in het gat en riep. Het kan zijn dat het de wind was die blies of een vogel die kwetterde, maar het leek er sterk op dat er in het gat iemand met Eva sprak. En het leek er ook sterk op dat Eva zei: 'Ja, ja, ja. Bij welke muur bedoel je? Bij de oostelijke muur? Komt in orde.'

Even later was Eva in huis terug. Ze straalde met haar hele gezicht, alsof ze iets wist. De rest van de dag deed ze ontzettend vriendelijk tegen Adam.

De volgende ochtend ging Eva naar God en God vroeg wat hij voor haar kon doen. Eva glimlachte en maakte een lichte buiging. 'Zou je me een pleziertje willen doen, God?'

'Wat wil je dat ik voor je doe?'

'Zie je daar aan de oostelijke muur die twee roestige sleutels hangen? Als jij ze niet nodig hebt, zou ik ze graag willen hebben.'

'Ach,' zei God, 'ik was helemaal vergeten dat ze daar hingen. Ik heb ze op de vuilnisbelt gevonden en ik had gehoopt de sloten te vinden die erbij horen. Ze hangen al zo'n tien miljoen jaar aan die spijker. En de sloten heb ik nog steeds niet gevonden. Als jij ze wilt hebben, pak ze dan maar.'

Eva nam beide sleutels, bedankte God en ging naar huis. Daar waren namelijk twee deuren zonder sleutel en Eva had een vermoeden dat de roestige sleutels erop pasten.

'Aha,' riep ze enthousiast, 'dit zijn dus de sloten die God niet kon vinden. Nu, m'n beste Adam, zullen we eens zien wie hier de baas is.' Ze sloot beide deuren en verstopte de sleutels.

Toen Adam uit de tuin kwam riep hij al vanuit de verte: 'Eten, vrouwtje.'

'Dat kan niet, Adam, de deur van de keuken is op slot.'

'Daar zal ik wel even wat aan doen,' zei Adam en hij probeerde de keukendeur open te breken. Maar God was een meester in hang- en sluitwerk zodat de deur niet eens kraakte toen Adam zich ertegen gooide.

'Weet je wat,' kwam Eva te hulp, 'als jij in het bos hout gaat sprokkelen dan probeer ik ondertussen de deur open te krijgen. Misschien schiet me in die tijd wel een handigheidje te binnen.'

Adam trok naar het bos en toen hij beladen met hout terugkwam was de deur inderdaad open en stond er al eten op tafel.

Nadat hij zijn buikje rond had gegeten stelde Adam voor: 'Luister eens, schatje. Zullen we samen lekker het bed in duiken? Dat zou me pas echt goed doen.'

'Dat kan niet,' zei Eva. 'De deur naar de slaapkamer is op slot.'

'Weet je daar ook een handigheidje voor?'

'Misschien. Als jij ondertussen het dak maakt, zal ik kijken of ik die deur open krijg.'

En zo repareerde Adam het dak en deed Eva de slaapkamerdeur open. En van toen af aan hield ze de twee sleutels stevig in handen en wist ze er goed gebruik van te maken.

En dat is de reden waarom mannen *denken* dat ze de baas zijn, en vrouwen *weten* dat ze de baas zijn, want zij beschikken over twee roestige sleuteltjes. En slim als vrouwen zijn, weten ze daar op hun manier goed gebruik van te maken.

En als je dat nog niet wist, dan ben je beslist geen getrouwde man.

(Afro-Amerikaanse vertelling)

DE KIKKERVROUW

Hoog in de bergen, waar het páramo-gras groeit en de altijd koude wind waait, ligt een meer waar veel vissers bij het ochtendgloren heen gaan om op forel te vissen.

In een hutje dicht bij het meer leefde een arme vissersfamilie die geen andere middelen van bestaan had dan wat de visvangst bracht. Elke dag trokken de drie zonen naar het meer om hun geluk te beproeven. Van die drie broers vingen de twee oudste altijd meer vis dan de jongste. Dat kwam niet alleen doordat de jongste nog niet zo kundig was, maar hij was ook een beetje dom.

Op een dag zeiden de twee oudste jongens: 'Vader, wij tweeën gaan naar de kust om daar werk te zoeken. We hebben geen andere keus. Als we hier blijven zullen we later, als we voor onszelf moeten zorgen, nog steeds net zo veel hebben als nu – bijna niets.'

Net op dat moment arriveerde Andrés, de jongste, met een lading hout op de kleine binnenplaats. Hij hoorde wat zijn broers tegen hun vader zeiden, maar deed er het zwijgen toe.

De volgende dag pakten de twee oudste broers wat eten in, namen afscheid van hun ouders en gingen opweg. Andrés zei dat hij met hen mee wilde, maar de broers vonden dat hij bij hun ouders moest blijven. Als hij meeging zou dat alleen maar ongeluk brengen. Maar Andrés legde zich daar niet bij neer.

De broers waren nog maar nauwelijks de deur uit of hij nam wat kleren en wat eten en ging ze achterna.

'Ik ga ook weg,' zei hij toen hij ze had ingehaald, 'of jullie dat goed vinden of niet.'

'Heb je eraan gedacht om wat eten mee te nemen?'

'Wat dacht je dan?'

'Laten we daar dan mee beginnen,' zeiden de oudere broers en ze begonnen zo zachtjes met elkaar te praten dat Andrés er geen woord van kon horen. Gedrieën gingen ze langs de kant van de weg zitten, Andrés deelde zijn eten en toen dat op was liepen ze verder tot ze op een plek kwamen waar de weg zich in drieën splitste. De oudste zei: 'Kijk, hier moet ieder van ons een andere weg nemen. Andrés, neem jij de weg naar rechts. Ik ga rechtdoor en jij,' zei hij tegen de andere broer, 'neemt de weg naar links. Laten we zien waar we uitkomen. Het is niet verstandig om samen verder te gaan. Ieder van ons moet op eigen houtje zijn geluk zien te vinden. Over een jaar komen we weer op deze plek samen om onze ouders te gaan bezoeken. En we brengen allemaal wat mee, zodat we kunnen zien wie het meeste succes heeft gehad.'

Daar waren de andere twee het mee eens en ieder ging zijn eigen weg.

Terwijl Andrés in z'n eentje verder liep, sloegen zijn beide broers na een tijdje een zijpad in zodat ze elkaar weer troffen. 'Die hebben we mooi te pakken genomen,' zeiden ze tegen elkaar. 'Hij is ook zo dom. Wedden dat die volgend jaar niet komt opdagen. En als hij al komt dan heeft hij beslist niets bij zich.'

Andrés liep verder en verder de bergen in. Tegen zonsondergang kwam hij bij een huisje aan de rand van een dal met een meer. Een oude vrouw nodigde hem uit om binnen te komen. Als hij wilde kon hij zelfs blijven overnachten.

Andrés kon de slaap niet vatten. Het was tot hem doorgedrongen dat zijn oudere broers hem voor de gek hadden gehouden. Wat doe ik hier eigenlijk, in dit armoedige hutje? vroeg hij zich af. Ik kan beter naar mijn ouders teruggaan.

Maar terwijl hij zo triest lag te piekeren, weerklonk vanuit de verte een schitterende vrouwenstem. Vlakbij hoorde hij iemand diepe zuchten slaken. 'Weet u wie daar zo schitterend zingt?' vroeg hij aan de oude vrouw.

'Dat is mijn dochter.'

'Die zou ik dan graag willen leren kennen. Met haar zou ik wel willen trouwen.'

'Meen je dat?'

'Zeker. Met haar wil ik trouwen! Dat beloof ik. Ik weet zeker dat ze heel knap is.'

Ook de rest van de nacht deed Andrés geen oog dicht. Hij dacht aan de vrouw met de verleidelijke stem en zijn verlangen om haar te ontmoeten groeide en groeide.

De volgende ochtend, toen de zon nog maar net boven de bergen uitkwam, zei de oude vrouw: 'Kom mee, dan zal ik je aan mijn dochter voorstellen.'

'Waar woont ze?' vroeg Andrés terwijl hij om zich heen keek en in de verste verte geen huisje kon bekennen.

'Ze woont daar,' zei het oudje, naar het meer wijzend.

'Daar? In het meer?'

'Wil je haar ontmoeten of niet?'

'Natuurlijk.'

'Kleine kikker, kleine kikker,' riep de vrouw in de richting van het water, 'hier is iemand die met je wil trouwen.'

De vrouw was nog niet uitgesproken of er sprong een kikker op de oever. Een lelijke vrouwtjeskikker.

'Dat is nu mijn dochter,' zei de oude vrouw.

Andrés keek vol afschuw naar het beest en voelde zich triest en bedroefd. Maar ja, hij had beloofd dat hij de dochter van het oudje zou trouwen, en een belofte breek je niet.

De vrouw zette haar schoonzoon meteen aan het werk en

droeg hem op voor haar schapen en varkens te zorgen. En de domme schikte zich in zijn lot en hield zijn mond.

Toen er een jaar verstreken was, werd Andrés overvallen door heimwee. Zijn kleren waren gescheurd en vuil. Het was echt tijd om naar huis terug te gaan. Maar kon hij zijn broers en zijn ouders zo onder ogen komen? Als een mislukkeling? Nee, dat wilde hij onder geen beding. Hij ging aan de oever van het meer zitten, weende bittere tranen en verzuchtte: 'Kikkervrouw, je ziet hoeveel verdriet ik heb. Wat vind jij, moet ik gaan of zal ik hier blijven?'

Zijn vrouw stak haar kop boven water, zag hoe ellendig haar man er aan toe was en zei: 'Ga naar mijn moeder. Zij zal je alles geven wat je nodig hebt.'

Toen hij in het hutje van de oude vrouw kwam, lag alles wat hij zich maar kon wensen al klaar en al snel zag hij eruit als een vermogend man.

In het ouderlijk huis zaten zijn broers al enige tijd op hem te wachten. Misschien, zo vroegen ze zich af, was hij wel te dom om de weg naar huis te vinden, of was hij van de honger omgekomen. Maar terwijl ze zo over hun broer zaten te praten stapte hij binnen – met een hoop geschenken en geweren, en gekleed als een man van aanzien.

Andrés vertelde honderd uit, maar over zijn kikkervrouw sprak hij met geen woord.

Zijn broers werden jaloers en opperden dat ze voor de tweede keer een jaar lang hun geluk zouden gaan beproeven en elkaar dan weer zouden treffen. 'En dan,' zo zeiden ze, 'brengen we voor onze vader een hemd mee. Tegen die tijd zijn we beslist allemaal getrouwd, zodat onze vrouwen dat hemd hebben kunnen naaien. Wat vind jij ervan, Andrés?'

Andrés stemde ermee in. Wat kon hij anders? Hij wilde niet zijn gezicht verliezen, maar hij was er zeker van dat hij geen hemd mee zou kunnen brengen.

Na een paar dagen namen ze afscheid van hun ouders en van elkaar. Ieder ging terug naar de plek vanwaar hij gekomen was met de belofte over een jaar terug te zullen komen. Met een hemd. Hoe zou mijn kikkervrouw in hemelsnaam een hemd kunnen naaien? vroeg Andrés zich op de terugreis bezorgd af.

Nadat hij zijn voorname kleren in het huisje van de oude vrouw had afgelegd, liep hij naar het meer om zijn vrouw te vertellen wat hij en zijn broers hadden afgesproken.

'Gooi de stof voor het hemd in het water,' zei ze tegen haar man. 'Dan zorg ik dat je een hemd voor je vader krijgt.'

Het jaar verstreek en de domme Andrés was nog steeds een arme drommel. Alles wat hij bezat was het hemd voor zijn vader dat zijn vrouw voor hem had weten te maken. Vanuit de verte zag hij zijn beide broers al naar het ouderlijk huis rijden, op trotse paarden, beladen met geschenken. Zij waren rijk – hij was nog steeds arm. Ik denk dat ik dit jaar maar beter niet kan gaan, dacht hij. Zoals ik er uitzie kan ik me maar beter niet vertonen.

Hij beklaagde zich tegenover zijn kikkervrouw, maar die zei: 'Maak je maar geen zorgen. Ga naar mijn moeder, die zal je alles geven wat je nodig hebt.'

En zo trof hij zijn broeders bij de driesprong waar ze twee jaar geleden uit elkaar waren gegaan, en toen zijn broers hem zagen werden ze opnieuw jaloers.

'Hij heeft beslist een schatrijke vrouw getrouwd,' zeiden de broers tegen elkaar. 'We kennen hem toch? Hij kan niet eens fatsoenlijk uit zijn woorden komen, laat staan dat hij in staat is om op eigen kracht zo'n rijkdom te verwerven.' Om achter de oorsprong van Andrés' succes te komen, zeiden ze: 'Onze vader wil graag onze vrouwen leren kennen. Volgend jaar komen we weer hier bij elkaar en dan brengen we onze vrouwen mee. Wat vind jij ervan?'

Andrés durfde ze niet tegen te spreken, maar nu zat hij

nog dieper in de problemen dan vorige jaren. Hij was met een kikker getrouwd. Daar kon hij toch niet mee aankomen?

Na een paar dagen zei Andrés zijn ouders gedag, nam de weg naar het huisje aan het meer en liep meteen door naar zijn kikkervrouw om haar te vertellen wat er was afgesproken.

'Ga jij mijn moeder maar helpen, dan zal ik erover nadenken wat we kunnen doen.'

De maanden verstreken en Andrés was er niet gerust op: zijn vrouw had niets meer van zich laten horen. En toen de dag was aangebroken waarop hij vertrekken moest, ging hij naar het meer en riep haar. 'Als je wilt kan ik je in een lelieblad wikkelen en meenemen,' opperde hij.

'Luister,' zei de kikker, 'ik zal met je meegaan, maar dan moet je precies doen wat ik zeg. Als je dat niet doet, moet je alleen gaan.'

Andrés beloofde haar alles te zullen doen wat ze vroeg.

'Daar aan de oever,' zei zijn vrouw, knikkend met haar kikkerkop, 'staat een kist. Hij is zwaar, heel zwaar, maar als je erin slaagt met die kist rond het meer te lopen zonder hem te laten vallen of even neer te zetten, en zonder om te kijken, ook niet als je bang bent, dan zal ik met je meegaan.'

Andrés pakte de kist op en liet hem bijna onmiddelijk op zijn voeten vallen, zo zwaar was hij, maar hij wist overeind te blijven en hij begon aan zijn weg rond het meer. Halverwege kon hij bijna niet meer. Hij was bang de kist te zullen laten vallen, maar hij zette zijn kiezen op elkaar en ging tot het uiterste van zijn krachten.

Toen hij bijna was aangekomen op de plek vanwaar hij vertrokken was, sprong de kist vanzelf open. En toen Andrés naar binnen keek zag hij een grote stad, en in die stad waren de mooiste dingen. Er kwam een grote auto op hem toe gereden en daarin zat een prachtige vrouw.

'Ik ben het, je kikkervrouw,' zei de mooie vrouw. 'En deze auto is van jou. Stap in, dan gaan we naar je ouders.'

Ook nu weer kwam Andrés op de weg naar huis zijn oudere broers tegen. Ze hadden allebei hun vrouw bij zich en ze groetten de man en de vrouw die in de auto zaten. Pas toen ze thuis kwamen hadden ze in de gaten dat de man en de vrouw uit de grote auto hun broer en schoonzus waren. Ze werden opnieuw ontzettend jaloers en voelden zich vernederd. De vader keek hoofdschuddend naar zijn jongste zoon; hij begreep er ook niets van. Hij liet wild en gevogelte slachten, lekkernijen en drank halen en gaf een groot feest ter ere van zijn jongste zoon en zijn schoondochter.

Toen ze allemaal aan het dansen waren, legde de betoverde kikkervrouw wat eten op haar borst. De vrouwen van de oudere broers deden haar na, maar bij hen gleed het vlees van hun borst en viel op de grond, waar de honden het meteen opvraten. Maar het vlees dat van de borst van de kikkervrouw viel, veranderde in zilver en goud. De gebraden kippen en aardappelen werden diamanten.

Ja, wat kan ik er nog meer over zeggen?

(Indianensprookje uit Ecuador.)

DE WEG NAAR DE HEMEL

Lang, lang geleden leefden op een eenzame ladang een oude vrouw en een oude man. Ze woonden in een klein huisje dat nauwelijks meer was dan een zwervershut. Van de opbrengst van hun kleine rijstveld, dat afgelegen in de buurt van het oerwoud lag, konden ze maar een bescheiden leventje leiden. Het dichtstbijzijnde dorp lag een paar dagen lopen bij hen vandaan; de meest nabije stad zelfs nog enkele dagen meer.

Vanwege hun leeftijd en rustige leventje groeide in beide bejaarden de wens om de koran te leren lezen en hun kennis over het geloof te verdiepen. Ze hoopten dat ze daardoor zeker in de hemel zouden komen. Vroeger hadden ze geen tijd gehad om het heilige boek te lezen; als kleine kinderen al hadden ze dag in dag uit hard en lang moeten werken om in hun levensonderhoud te kunnen voorzien. Omdat de dood langzaam naderde, dachten ze steeds vaker aan het eeuwige leven en al die vreselijke ziekten waarover andere mensen het steeds hadden. Telkens als ze bij het vuur in de kleine keuken zaten, begon de oude man er weer over.

'Ach, moeder, waarom gaan wij niet naar de koranschool en laten we ons uit de koran onderwijzen?'

De oude vrouw antwoordde, terwijl ze heel aandachtig houtblokken op het vuur legde: 'Ja, misschien was het ons lot om zo te moeten leven als we hebben gedaan, omdat we ons niet met het geloof hebben beziggehouden. We worden steeds ouder, dus is het wel de hoogste tijd dat we de koran leren lezen, nietwaar?'

'Dat bedoel ik dus. Wanneer zullen we naar de koranschool gaan?'

'Wie past er zolang op onze ladang als we naar school gaan? Als de grond niet wordt bewerkt, hebben we spoedig niets meer te eten.'

'Daar heb je gelijk in,' antwoordde de oude man.

Hij keek bezorgd, want het leek erop dat ze weer geen tijd zouden hebben om de koran te leren lezen. Ze staarden allebei zwijgend in de vlammen van het kleine vuurtje op de grond, dat het theewater langzaam aan de kook bracht. Ineens stond de oude man op, keek zijn vrouw heel vrolijk aan en zei: 'Wat zou je ervan vinden als ik alleen ga om de koran te leren lezen? Dan kun jij hier blijven om de ladang te bewerken.'

Het oude vrouwtje wierp een afkeurende blik op haar man en zei: 'Heel slim, heel slim! Jij leert de koran lezen zodat jij in de hemel komt en veertig maagden om je heen hebt. En ik moet alleen hier blijven, en als dank voor het zware werk kom ik in het vuur van de hel. Nee, nee, vadertje, ik blijf niet alleen. We gaan samen of we gaan niet.'

De oude man ging weer zitten en liet zijn hoofd ontmoedigd hangen. 'Daar heb je natuurlijk ook weer gelijk in', zei hij met een diepe zucht. 'Als we de koran leren lezen, hebben we geen tijd om de ladang te bewerken, maar als we de ladang bewerken, hebben we geen tijd om de koran te lezen!'

'Wat is nu het beste?' vroeg de oude vrouw.

De oude man dacht even na en zei: 'Weet je wat we doen? Jij gaat naar de koranschool om de koran te leren lezen en zodra je het kunt, kom je terug en leer je het mij!'

'Bedoel je dat ik er alleen naar toe moet? Hoe krijg je het

over je hart mij alleen daarheen te sturen?' vroeg de oude vrouw met tranen in haar ogen.

Van buiten drongen stemmen het huisje binnen en de twee binnen hoorden de groet: 'Sampurasun!'

'Rampes!' antwoordde de oude man. 'Wie is daar? Kom toch binnen!'

De deur ging open en een paar jongelingen kwamen het kleine keukentje binnen. Het waren koranleerlingen die net terug waren gekomen van de koranschool. Ze begroetten elkaar, en de oude man bood de gasten een plekje aan op de mooie schone mat naast het vuurtje. Het oude vrouwtje zette nogmaals water op voor thee en ze overlegde met haar man of ze iets zou koken. De vreemdelingen brachten de oude mensen volledig in de war. Ze kregen nooit bezoek, en daarom zei de oude man: 'Wij zijn zeer verrast en blij dat u ons met uw bezoek vereert, waarde jongelingen. U moet weten, dat wij hier een eenzaam leven leiden en we bijna nooit bezoek krijgen. Waar komt u vandaan? Wie heeft u gestuurd?'

Een van de jongelingen zei: 'We komen net van de koranschool, onze studie is afgelopen. We hebben nog een behoorlijk stuk te lopen voordat we thuis zijn, maar hebben geen proviand meer. Toen we rook zagen opstijgen uit uw huisje dachten we dat we hier wel even een korte tussenstop zouden kunnen maken.'

De oude man vond het fantastisch dat hij bezoek had gekregen van koranleerlingen. Hij riep zijn vrouw toe die in de keuken druk bezig was: 'Moedertje, God is echt barmhartig! Breng snel iets te eten en te drinken voor onze gasten.'

Het oude vrouwtje hield er niet van dat haar man haar zo commandeerde en zei: 'Heb toch eens wat geduld. Waarom zit je me zo op te jagen. Het kan nog wel even duren voor de bataten klaar zijn.'

'Schenk ons dan maar eerst een kopje koffie in, moeder! Het is een heel bijzondere eer dat wij koranleerlingen op bezoek hebben gekregen. Zij kunnen de koran lezen en gaan nu met hun kennis weer terug naar huis.'

Het was de oude vrouw blijkbaar ontgaan dat haar gasten koranleerlingen waren, want toen ze hoorde wat haar man zei, riep ze heel enthousiast: 'Wat zeg je? Koranleerlingen? Je meent het! De Heer is geprezen! Ik kom meteen met koffie, want de jongelingen zullen zeker wel dorst hebben. Het water kookt al.'

Het verbaasde de koranleerlingen zeer dat de twee oude mensen zo enthousiast waren over hun komst en ze keken elkaar vragend aan. Een van hen vroeg: 'Waarom bent u zo verheugd over onze aanwezigheid? Vindt u het dan niet vervelend onaangekondigd mensen over de vloer te hebben?'

De oude man lachte. 'Integendeel, we vinden het heerlijk! Het water kookt al en de bataten komen van onze eigen ladang. Het is een grote eer u als gast in ons bescheiden huisje te mogen ontvangen. U wilt weten, waarom? Omdat u van de koranschool komt en als korankenners op weg bent naar huis.'

De gasten begrepen er nog steeds niet veel van. Nogmaals vroegen ze de oude mensen waarom ze zo opgetogen waren over hun komst. Deze keer gooide de oude man het over een andere boeg: 'We zijn al tamelijk oud,' zei hij, 'maar van het geloof hebben we helemaal geen verstand. Daarom willen wij ook naar de koranschool, net als jullie. Maar omdat we onze ladang moeten bewerken, kunnen we hier niet weg.'

Intussen was de koffie klaar en konden de knollen worden opgediend.

'Neem toch eerst even een slok koffie!' zei de oude vrouw opgewekt. De gasten hadden inderdaad dorst en honger en bliezen ongeduldig naar de hete damp die van de koffie en de bataten opsteeg. Al blazend vroegen ze de oude mensen waarom ze de koran wilden leren lezen. 'Is dat niet een beetje laat?'

'Dat is het nou juist, jongeman', zei de oude man. 'Toen we jong waren hadden we nooit tijd om de koran te leren lezen. En nu zijn we oud en hebben niet meer lang te leven...'

'Ja, dat begrijpen we, maar wáárom willen jullie de koran leren lezen?' vroegen ze nogmaals.

'We willen niet in de hel komen, maar in de hemel! Daarom!'

De jongelingen proestten het uit toen ze deze simpele verklaring hoorden. Ze lachten zich het apezuur en wisten van geen ophouden. Toen ze uiteindelijk weer tot bedaren waren gekomen, zei een van de koranleerlingen, die alom bekendstond als een grote deugniet: 'Waarom wilt u uitgerekend de koran leren lezen als u in de hemel wilt komen?'

'Heb jij een beter voorstel, mijn zoon?' vroeg de oude man, die nog steeds niet begreep waarom de jongelingen zo moesten lachen.

De deugniet vroeg: 'Heb ik daarnet niet aan de rand van uw ladang een heel hoge bamboeplant gezien waarvan de toppen bijna de wolken raken?'

In koor antwoordden de oudjes: 'Ja, dat klopt!'

'Dat is de weg naar de hemel,' zei de deugniet. 'U moet gewoon naar boven klimmen. Zodra u boven bent, zult u de trap naar de hemelpoort zien!'

De oude man riep verrast: 'Bij Allah, is dat waar? Dat wist ik niet. Misschien is de bamboeplant geen gewone plant. Moedertje, waren wij al die jaren gewoon blind? We wonen nu al bijna veertig jaar hier. Waarom hebben we daar nooit aan gedacht?'

'Dat komt ervan als je nooit iets hebt geleerd!' zei de oude vrouw.

'Maar nu weten wij het, moeder. Dankzij de jongelingen kennen we nu de weg naar de hemel. Slimme knapen, nietwaar? Zullen we dan maar, moeder?'

'Waarom niet? We zijn oud en de weg kennen we nu ook.

Waar wachten we nog op? Kom!' antwoordde de oude vrouw opgetogen.

Het leken wel kinderen, die twee oude mensen. Ze lieten alles staan en renden het huis uit zonder nog een keer achterom te kijken. Toen ze bij de hoge bamboeplant waren aangekomen, zei de oude vrouw tegen haar man dat hij maar voor moest gaan. De oude man klom naar boven en zijn vrouw volgde. Ook de gasten kwamen hen achterna, want ze waren heel benieuwd wat er zou gebeuren. Ze wilden erbij zijn als de oude mensen in de gaten zouden krijgen dat zij voor de gek waren gehouden.

Het was een hele klimpartij. Vooral het laatste stuk was voor de oudjes een bijna onoverkomelijke barrière, want bovenaan was de bamboeplant soms spiegelglad. Het leek wel of er geen einde kwam aan de plant. Het ging alsmaar hoger en hoger. Op een gegeven moment riepen de koranleerlingen van beneden: 'Grootvader! Grootmoeder! De vogels vreten jullie ladang op!'

Dat deerde beide oudjes niet. Ze hadden geen oog meer voor hun ladang en wilden alleen nog maar naar boven: 'Wat kan ons dat nou schelen!'

De oudjes klauterden alsmaar hoger. De toppen van de plant waren nu zo dun dat ze nog nauwelijks houvast boden. Ze zwiepten heen en weer en vielen bijna naar beneden. Maar met een verbazingwekkende vastberadenheid klampten zij zich vast. Opeens kwam er een storm opzetten die de grote plant vervaarlijk heen en weer deed zwiepen. Toen de storm voorbij was, waren de twee oude mensen spoorloos verdwenen.

De koranleerlingen keken hun ogen uit. Ze tuurden en tuurden naar boven, maar zagen niemand. Ze zochten de grond af om te zien of de oudjes misschien toch naar beneden waren gevallen, maar vonden niemand. Verbijsterd keken ze elkaar aan.

Na een korte stilte zei de deugniet: 'Verdraaid, misschien is de bamboeplant inderdaad de weg naar de hemelpoort. De storm heeft de oudjes waarschijnlijk naar binnen gebracht. Kom, laten we gaan kijken!'

'Je hebt gelijk. Als we de weg naar de hemel sowieso al weten, waarom zullen we dan nog langer hier beneden blijven rondhangen? Ik ga mee!' riep een ander.

De deugniet ging voorop en de andere koranleerlingen kwamen achter hem aan. Niemand bleef beneden. Alsof het een wedstrijd was, klommen ze in een razend tempo naar boven. Toen ook zij helemaal boven waren aangekomen, begon het ineens enorm te waaien. De toppen van de plant zwiepten vervaarlijk heen en weer en de koranleerlingen konden zich maar met moeite vastklampen. Het angstzweet stond hun op het voorhoofd en ze keken elkaar met grote ogen aan, want ze waren bang dat ze naar beneden zouden vallen. Ze trilden en beefden van angst. Maar wat gebeurde er? Ineens hadden ze overal haren gekregen en ze schreeuwden, maar niet zoals mensen dat doen, maar zoals apen. Als de wiedeweerga klommen ze naar beneden en deden zich te goed aan de vele vruchten op de ladang.

(Sprookje uit Indonesië)

IVAN, IVAN EN IVAN

Op een zonnige dag zeiden de drie dochters van Alexander de Eerste: 'Laten we gaan varen op de zee. Het is zo'n mooie dag!'

De tsaar beval een koets in te spannen om de meisjes naar de kust te brengen. Daar werd een bootje in gereedheid gebracht en al snel voeren de meisjes zingend over het water. Opeens begon het te waaien en stak er een storm op! Het bootje draaide rond en rond. De wind pakte het bootje beet en voerde het weg. Waarheen? Dat wist niemand! De botenverhuurder ging naar de tsaar en vertelde hem: 'Zo en zo is het geval, hoogheid, er stak een storm op en die heeft uw dochters meegenomen.'

De tsaar liet aanplakbiljetten verspreiden met de vraag of iemand zijn dochters had gezien en trok persoonlijk van stad naar stad om navraag te doen. Op zijn tocht kwam hij een man tegen die zei: 'Wacht eens even, hoogheid! Mijn vrouw heeft mij een drieling geschonken, drie zonen; vraag het hun, misschien kunnen zij helpen uw verdwenen dochters terug te vinden?'

De tsaar ging met de oude man mee naar zijn huis. De vrouw had de zonen dezelfde naam gegeven. De eerste heette Ivan de Avondmens, de tweede Ivan de Nachtbraker en de derde Ivan de Scherpziende. De oude man vertelde de kinderen wat de tsaar was overkomen en vroeg: 'Willen jullie zijn dochtertjes niet gaan zoeken?'

De broertjes keken elkaar aan en zeiden: 'We zullen er over denken, vadertje. Misschien kunnen we ze opsporen!'

De tsaar nodigde hen uit voor het diner. Het paleis zag er keurig uit, maar toen ze de hun voet op de eerste trede van de trap zetten, zakte die in elkaar. 'Majesteit,' zeiden ze, 'daar mag u wel eens naar laten kijken,' en de tsaar liet meteen een gietijzeren trap maken. Ze klommen naar boven en kwamen in een schitterende zaal. Maar toen ze gingen zitten braken de stoelen in stukken. De tsaar werd er treurig van.

Toen ze eindelijk aan tafel zaten, zei Ivan de Avondmens: 'Voor mij moet een stok gesmeed worden van honderd poed.' Ivan de Nachtbraker zei: 'Ik heb er een nodig van tweehonderd poed!' En Ivan de Scherpziende vroeg om een stok van driehonderd poed met een ketting van tweehonderd vadem.

Alles werd geregeld. Toen gingen ze naar buiten, gooiden de stokken omhoog en wachtten af. Ivan de Avondmens stak zijn vinger op en de stok viel op de vinger zonder door te buigen. Bij Ivan de Nachtbraker gebeurde dat evenmin. Toen de derde, Ivan de Scherpziende, zijn vinger opstak, viel de stok er op en boog door. Hij zei: 'Er moet nog vijfentwintig poed bij!'

Dat gebeurde, en toen ze opnieuw de proef op de som namen boog de stok niet door. Ze maakten zich klaar voor de reis. Zij werden met muziek uitgeleide gedaan, er speelde een band en er was veel volk op de been. Ook de vader en de moeder zwaaiden hen uit.

De drie Ivans gingen op weg, al wisten ze zelf niet waarheen. In de verte zagen zij een stel duivels een hooimijt vernielen; toen die de broers zagen, begon één van hen te blazen. Ivan de Avondmens viel om. De duivel blies nog een keer en Ivan de Nachtbraker viel om. Maar toen hij voor de derde keer blies bleef Ivan de Scherpziende overeind en wilde de duivel ombrengen; maar die wierp zich aan zijn voeten en zei: 'Wees mijn oudste broer, ik kan je van nut zijn!'

'Goed,' zei Ivan de Scherpziende. 'Kom dan maar met ons mee!'

Ze gingen met z'n vieren verder. Voor hen dook opeens een steile berg op die met geen mogelijkheid te beklimmen was. Ze probeerden de ketting op de berg te gooien. Ivan de Avondmens kwam maar halverwege, Ook Ivan de Nachtbraker kwam niet hoog genoeg en zelfs de duivel slaagde er niet in de ketting boven op de berg te werpen. Maar Ivan de Scherpziende lukte het wel. Hij trok de ketting strak en haakte zich vast. Toen stak hij zijn dolk in een boom en zei: 'Als er bloed uit de boom begint te druppelen, verwacht me dan niet levend terug te zien.' Hij nam zijn pet af en zei: 'Vaarwel, vrienden!'

Toen begon hij te klimmen. Hij klom helemaal tot op de top en daar aangekomen zag hij een koperen huis. Er omheen stonden stokken en op elke stok stond een hoofd, behalve op één. Hij ging naar binnen, maar er was niemand aanwezig; hij liep verder het huis in en kwam een heel mooi meisje tegen. Zij pakte hem bij de hand en vroeg: 'Waar ben jij vandaan gekomen, aardige jongen?' Ivan de Scherpziende antwoordde: 'Je doet het niet zoals het hoort: je moet me eerst te eten en te drinken geven en laten slapen. Pas daarna kun je me vragen stellen!'

Dus gaf ze hem te eten en te drinken, daarna vertelde hij haar hoe de zaak in elkaar zat. Waarop zij zei: 'En ik ben de oudste dochter van de tsaar.'

Ze praatten nog een poosje, maar toen zei de tsarendochter: 'Het verdriet mij omdat je nog zo jong bent. Je kunt maar beter zo snel mogelijk vertrekken, want de driekoppige draak kan zo komen en die vermorzelt je!'

'Spaar je de moeite,' zei hij, 'ik luister toch niet.' Maar hij trok zich wel terug in een hoek, zodat hij niet opgemerkt zou worden. Opeens klonk er een heleboel lawaai en begon alles te trillen en te beven. Boem! De driekoppige draak stond midden in de kamer. Het meisje en de draak begonnen met elkaar te praten en het meisje vroeg hem of hij de sterkste was van de hele wereld. De draak zei: 'Ik heb maar één sterkere vijand en dat is Ivan de Scherpziende, 'tenminste zolang de raaf zijn beenderen niet hierheen heeft gebracht.'

Ivan de Scherpziende hoorde deze woorden en liep op de draak af: 'De raaf hoeft mijn beenderen niet te brengen, ik ben zelf gekomen!' En met één zwaai met zijn stok van driehonderd poed doodde hij de draak! De tsarendochter bleef achter terwijl Ivan de Scherpziende de andere twee tsarendochters ging zoeken.

Hij ging op weg, wist zelf niet waarheen, keek en zag opeens een zilveren huis. Rondom stonden palen met daarop hoofden gestoken; slechts één paal was nog vrij. Voor mij bedoeld, dacht Ivan de Scherpziende.

Hij ging naar binnen, maar er was niemand te zien; liep verder het huis in en daar kwam hem een mooi meisje tegemoet. Ze nam hem mee naar haar kamer en vroeg: 'Waar kom jij vandaan, aardige jongen?'

Ivan de Scherpziende zei: 'Je doet het niet zoals het hoort: je moet me eerst te eten en te drinken geven en laten slapen. Pas daarna kun je me vragen stellen!'

Zij gaf hem te eten en te drinken en legde hem te slapen. Daarna vertelde hij haar alles. Zij was erg blij te horen dat haar oudste zuster nog in leven was. 'Maar,' zei ze, 'het verdriet me omdat je nog zo jong bent, Ivan de Scherpziende! Ga hier maar gauw vandaan! Straks komt de zeskoppige draak aanvliegen en die zal je doden en je hoofd op de paal spietsen.'

'Zeg maar niets, ik luister toch niet,' zei Ivan de Scherpziende.

Maar hij trok zich wel terug in een hoek.

Opeens klonk er een heleboel lawaai en alles begon te trillen en te beven en de zeskoppige draak plofte neer in de kamer. 'Er hangt hier een eigenaardig, Russisch luchtje,' zei de draak. 'Wie is hier geweest toen ik niet thuis was?'

'Er is niemand geweest,' zei de tsarendochter. Daarna babbelden ze wat en de draak werd een beetje slaperig. Toen vroeg het meisje: 'Wie in de wereld zou jou kunnen doden?'

Slaapdronken antwoordde hij: 'Alleen Ivan de Scherpziende zou dat kunnen, tenminste zolang de raaf zijn beenderen niet hierheen heeft gebracht.'

Ivan de Scherpziende kwam voor de dag en zei: 'De raaf hoeft mijn beenderen niet te brengen. Ik ben zelf gekomen!' Hij zwaaide met zijn stok en doodde ook deze draak.

Hij nam afscheid van de tsarendochter en ging verder. Waarheen, dat wist hij zelf niet. Hij keek en zag opeens een gouden huis, rondom stonden palen met hoofden erop. Hij ging naar binnen. Er was niemand te horen of te zien; hij liep verder en daar kwam hem een mooi meisje tegemoet, mooier dan hij ooit van zijn leven had gezien. Zij keek naar hem, want hij was een knappe jongeman en zei: 'Waar kom jij vandaan, aardige jongen?'

Ivan de Scherpziende zei: 'Je doet het niet zoals het hoort: je moet me eerst te eten en te drinken geven en laten slapen. Pas daarna kun je me vragen stellen!'

Dus nam het meisje hem mee naar haar kamer, gaf hem te eten en te drinken en legde hem te slapen. Daarna begon zij hem uit te vragen en hij vertelde haar alles. Ze zei: 'Dus mijn oudere zussen zijn nog in leven. Gelukkig. En ik ben de jongste dochter. Maar het spijt me van je jeugd en je enorme kracht! Ga hier snel weg, want als de twaalfkoppige draak komt, zal hij een eind aan je leven maken!'

'Spaar je de moeite, ik luister toch niet,' zei Ivan de Scherpziende. 'Het is niet daarvoor dat ik ben gekomen!' Maar hij trok zich toch maar terug in een hoek.

Opeens klonk er een heleboel lawaai, het begon te waaien,

het plafond stortte in en daar kwam de twaalfkoppige draak aangevlogen.

'Ach, mijn duifje, ik ben vandaag maar wat vroeger thuisgekomen. Mijn hoofd doet me zeer. Wrijf me!'

Hij ging op zijn knieën zitten en de tsarendochter streek hem over het hoofd, hij begon te snurken en alles rondom trilde en beefde.

Ivan de Scherpziende vroeg haar of het geen tijd werd hem te storen. Ze schudde de draak heen en weer en vroeg hem, wie op de wereld hij vreesde.

'Niemand kan tegen me op, alleen Ivan de Scherpziende kan het tegen me opnemen! Tenminste zolang de raaf zijn beenderen niet hierheen heeft gebracht.'

Toen zei Ivan de Scherpziende: 'De raaf zal mijn beenderen niet brengen. Ik ben zelf gekomen!'

Hij sloeg in het rond met zijn stok, hakte zes koppen af, sloeg nogmaals en hakte drie koppen af, daarna sloeg hij voor de derde keer zodat de laatste drie koppen op de grond vielen.

'Je bent vrij, tsarendochter,' zei Ivan de Scherpziende. 'Laten we naar je vader gaan.'

De jongste dochter van de tsaar, en de mooiste, pakte direct twee japonnen en een paar schoenen in, liep naar buiten en zwaaide met een doekje. Opeens lag er een gouden eitje in haar hand.

Samen begonnen ze aan de terugweg. Ze kwamen bij het zilveren huis. De zusters waren erg blij elkaar weer te zien. De tweede tsarendochter pakte ook twee japonnen in en een paar schoenen, ging naar buiten en zwaaide met een doekje. Opeens had zij een zilveren eitje in haar hand.

Ze gingen verder en kwamen bij het koperen huis. Nog meer vreugde: de drie zusters waren weer bij elkaar! Ook deze dochter van de tsaar pakte twee japonnen en een paar schoenen, ging naar buiten, zwaaide met een doekje en had opeens een koperen eitje in haar hand. De drie tsa-rendochters gaven hun japonnen, schoenen en eitjes aan Ivan de Scherpziende. Daarna vervolgden ze samen de weg terug.

Ze kwamen aan de rand van de berg die Ivan de Scherp-ziende had beklommen; beneden stonden de anderen nog te wachten. Ze hadden steeds naar de boom gekeken of er geen bloed uitkwam. Toen hoorden ze Ivan de Scherpziende roe-pen: 'Vrienden, we komen er aan! Hallo! Hierheen!'

Het gezelschap begon de berg af te dalen. Eerst de oudste dochter van de tsaar; zij werd opgevangen door Ivan de Avondmens, daarna ging de tweede omlaag – zij werd opge-vangen door Ivan de Nachtbraker, daarna ging de jongste tsa-rendochter, die werd opgevangen door de duivel.

Maar nadat zijn broers de knappe tsarendochters hadden opgevangen, vernielden ze de ketting waaraan Ivan de Scherpziende naar beneden wilde klauteren, zodat hij boven op de berg achter moest blijven. Toen hij zag dat zijn broers hem een lelijke streek hadden geleverd, nam Ivan zijn stok, sloeg ermee op een boompje en plotseling stonden er drie jongemannen voor hem. Zij vroegen: 'Wat wil je dat we voor je doen?'

'Hoe kom ik van hier naar het tsarenrijk? En ook nog zo snel als maar kan?'

De jongemannen klapten in hun handen en onmiddellijk verscheen een klein oud mannetje met een meterslange baard. 'Ga op mijn rug zitten, Ivan de Scherpziende,' zei deze, 'en houd je aan mijn baard vast. Ik breng je waarheen je maar wilt!'

Zodra hij de baard beetpakte, werd Ivan opgetild en vlogen ze weg! Al na enkele ogenblikken vlogen ze boven het tsaren-rijk.

Ze daalden en landden bij een vervallen huisje, waar een oude man en een oude vrouw woonden, arme mensen, die niets hadden. Ivan de Scherpziende vroeg: 'Mag ik even bij u uitrusten?'

'Kom binnen en rust uit, jongeman.'

Ivan de Scherpziende bleef een poosje bij de oudjes wonen. De oude man ging regelmatig naar de stad om werk te zoeken. Als hij daarvan terugkwam, deed hij zijn vrouw en Ivan verslag van alles wat hij in de stad had gehoord en gezien.

Op een dag kwam hij thuis en vertelde dat er aan het hof van de tsaar maar liefst drie bruiloften zouden zijn. 'Overal in de stad hangen aanplakbiljetten waarop staat vermeld dat Ivan de Scherpziende gestorven is maar dat niemand weet hoe. Zijn broers, Ivan de Avondmens en Ivan de Nachtbraker, en nog een derde persoon hebben de tsarendochters gered en naar hun vader teruggebracht. De tsaar huwelijkt ze nu uit aan hun redders.'

Even later kwam de oude man thuis en vertelde: 'De tsarendochters vragen of er japonnen voor ze gemaakt kunnen worden zonder dat de maat wordt genomen en voor elk een paar schoenen, ook zonder de maat te nemen.'

Ivan de Scherpziende zei: 'Zeg maar dat jij ervoor zult zorgen, grootvadertje!'

'Maar dat is toch onmogelijk. Ik kan dat niet en ik heb geen materialen.'

'Maak je geen zorgen, neem de taak op je. Ik zal je helpen!'

Terwijl Ivan de Scherpziende buiten op hem wachtte, ging de oude man het paleis binnen, waar de tsarendochters hem uitlegden wat er gedaan moest worden. De tsaar had er maar liefst een miljoen voor over. Ze gaven de oude man alles wat hij nodig had. Onderweg naar huis ging Ivan de Scherpziende een winkeltje binnen en kocht wijn en allerlei lekkernijen. Thuis gekomen begonnen ze te drinken en te eten. De oude man maakte zich erg ongerust over de bestelling, maar Ivan de Scherpziende zei: 'Drink, grootvadertje. Wat maakt het uit als je toch moet sterven!' En hij schonk het ene glas na het andere in. De oude man dronk tot hij in slaap viel. Ivan de Scherpziende maakte intussen de japonnen en de schoenen van de tsarendochters netjes, die hadden ze hem immers gegeven, en borg de nieuwe stoffen en het leer op.

Toen de oude man de volgende morgen wakker werd, schoot hem onmiddellijk te binnen wat hij zich op de hals had gehaald en hij zei verwijtend tegen zijn vrouw: 'Waarom heb je het mij niet uit mijn hoofd gepraat. Nu staat mijn leven op het spel. Ik heb geen spullen, niets!'

Maar Ivan de Scherpziende riep: 'Sta op, grootvadertje. Je moet naar het paleis. Je mag niet te laat komen!'

De oude man kwam uit bed en Ivan gaf hem een bundel: 'Breng maar naar het paleis.'

Het oudje liep naar het paleis en meldde zich bij de tsarendochters. Zij bekeken de jurken en de schoenen en keken elkaar aan: dit waren hun eigen kleren, waarschijnlijk was Ivan de Scherpziende dus ook hier! Zij bedankten de oude man, spraken hun tevredenheid uit en lieten hem vertrekken. Verheugd liep de man naar huis en vertelde Ivan hoe het hem was vergaan.

En weer werden in de stad aanplakbiljetten opgehangen waarin de tsaar een oproep deed: 'Wie kan in één nacht een kristallen paleis bouwen met daar omheen een zee waarover een brug loopt. In de zee moeten allerlei vissen zwemmen en bij de brug moeten verschillende bomen groeien.'

De oude man liep naar huis en vertelde het aan zijn vrouw en zijn gast. Ivan de Scherpziende zei: 'Accepteer de opdracht, grootvadertje!'

'Hoe kom je erbij? Ben je gek geworden!'

'Doe het nu maar. Als je gevraagd wordt wat je ervoor wilt hebben, zeg je maar dat je een paardje hebt en dat het net zoveel zal kosten als het paard aan goud kan vervoeren.'

Weer ging de oude man naar het paleis. De tsaar liet hem bij zich komen. 'Zo, oude man,' zei deze, 'dus jij kunt zo'n kristallen paleis bouwen? Met een zee erbij, waarin verschillende vissen zwemmen, een brug erbij en verschillende bomen?'

'Het zal gedaan worden!'

'Hoeveel gaat dat kosten?'

'Ik heb een paardje en net zoveel goud als dat kan vervoeren, zoveel zal het kosten.'

De tsaar gaf bevel alles te geven wat nodig was. De oude man ging naar huis en dacht dat zijn eind gekomen was, want hij twijfelde aan de goede afloop.

Toen hij thuiskwam trakteerde Ivan de Scherpziende hem weer op wijn, liet hem de hele avond drinken en de oude man viel weer in slaap, net als de eerste keer. Toen brak Ivan drie eieren en er verschenen voor hem drie jongemannen. 'Wat kunnen we voor je doen?' vroegen ze.

'Bouw een kristallen paleis. Rond het paleis moet een zee komen waarin allerlei vissen zwemmen, er moet een brug over het water naar het paleis komen en bij de brug moeten verschillende bomen komen te staan.'

'We zullen alles maken zoals jij dat wilt!'

's Morgens ontwaakte de oude vrouw, schudde de oude man wakker en zei: 'Word wakker, slaapkop. Het is al dag en je bent nog niet eens aan het werk begonnen!'

'Opstaan, grootvadertje!' zei Ivan de Scherpziende. 'Alles is klaar. Hier heb je drie sleutels, ga maar zeggen dat je zelf alles hebt gedaan!'

De oude man ging op pad en zag dat het echt waar was: alles was er. Hij ging de binnenplaats op, liep over de brug en kwam bij het paleis. Maar hij kon de sleutel niet in het slot krijgen.

De tsarendochters waren opgestaan, begonnen zich aan te kleden en waren al snel helemaal gereed voor de trouwerij.

Ze liepen naar het paleis. De tsaar zei: 'God sta je bij, grootvadertje! Is alles klaar?'

'Wacht even,' zei de oude man. 'Ik heb nog één schroef vergeten! Ziezo, nu is alles klaar, komt u maar!'

De trouwerij begon. De twee oudste tsarendochters werden het eerst in de echt verbonden. Toen was de jongste aan de beurt. Zij moest met de duivel trouwen. Maar Ivan de Scherpziende stapte naar voren en zei tegen de duivel: 'Jij hebt hier niets te zoeken!'

Hij schoof hem opzij en ging zelf naast de tsarendochter staan.

De priester vroeg of zij hem als man wilde nemen; de dochter zei heel verheugd dat zij dat erg graag wilde. Dus trouwde Ivan de Scherpziende met de jongste tsarendochter en de drie tsarendochters vertelden de tsaar vervolgens de hele waarheid.

En zij leefden nog lang en gelukkig.

(Sprookje uit Rusland)

PINGINDRAEN YEO

Wij leven nu hier, op deze plek, maar in een grijs verleden woonden hier het opperhoofd en zijn krijgers. Ze waren hierheen gekomen om vissen te vangen in de Drover; de vrouwen waren in Chalalo gebleven. Omdat de mannen erg lang wegbleven, hadden de vrouwen na een paar dagen niets meer te eten, zodat ze in de moerassen naar mangrovekreeften moesten gaan zoeken. Een van de vrouwen was zwanger, en bracht nog tijdens het vangen een kind ter wereld, midden in de moerassen. De andere vrouwen lieten haar daar achter, zodat ze in alle rust haar kind kon baren. Toen het kindje begon te huilen, ging Pingindraen yeo op het geluid af. Spoedig vond ze de moeder en haar kind en vroeg: 'Waar komen jullie vandaan?'

De vrouw zei: 'Ik kom uit Chalalo. De vrouwen die samen met mij op jacht waren naar kreeften, zijn teruggegaan naar het dorp. Ik ben hier gebleven om mijn kind te krijgen.'

Pingindraen nam de moeder en het kind mee en stopte ze in een steen. Toen de nacht inviel begonnen de vrouwen zich ongerust te maken. Ze vroegen overal of iemand de zwangere vrouw had gezien en zochten de hele omgeving af.

Kort daarna kwamen de mannen terug van het vissen. De man van de zwangere vrouw vroeg waar zijn vrouw was. De andere vrouwen zeiden: 'We wilden mangrovekreeften vangen en jouw vrouw was er ook bij. Maar daarna hebben we haar niet meer gezien. We weten niet waar ze is gebleven.' Daarop maakten de mannen fakkels en zochten de halve nacht naar de zwangere vrouw. Nog voor het ochtendgloren gaven ze de moed op en gingen ervan uit dat de vrouw dood was; de echtgenoot spookte de rest van de nacht verdrietig door zijn hut.

Pingindraen had de moeder en haar kind naar haar huisje gebracht. Zij bekommerde zich om het kindje tot het groot was. Op zekere dag zei ze tegen de moeder: 'Ik breng jullie terug naar jullie dorp.'

Toen Pingindraen de twee terugbracht naar hun dorp, verkeerde de man nog steeds in de veronderstelling dat zijn vrouw dood was. Toen de avond was gevallen en het tijd was om naar bed te gaan, kwam hij terug naar huis. Hij schrok toen hij de vrouw zag en rende de hut uit. Hij dacht dat zij een tambaran was, een spook, en trommelde de hele stam bijeen. De vader van de echtgenoot zei: 'Ik ben al oud, laat mij maar naar binnen gaan. De oude man ging naar binnen en vroeg aan de vrouw: 'Wie ben jij?' De vrouw antwoordde: 'Ik ben de vrouw van jouw zoon. Ik was weg, maar nu ben ik weer terug. Zoals u ziet ben ik niet dood. Nadat ik mijn kind had gebaard, heeft een goede fee mij en mijn kind in een steen gestopt en zich om ons bekommerd.'

De oude man riep alle bewoners van Chalalo bij zich en zei: 'De vrouw van mijn zoon is weer terug'. De bewoners stroomden de hut binnen en huilden. Ze hadden allemaal gedacht dat de verloren vrouw dood was, omdat ze haar niet hadden gevonden, maar nu was ze terug.

(Vertelling uit Papoea Nieuw-Guinea)

HET APINNETJE

Er was eens een apenkoppel met een prachtige doch-ter. In de stad waar ze woonden heerste een grote hongersnood, en vele apen gingen eraan dood. Op een dag waren het apenkoppel en hun dochter zo mager geworden dat ze het onmogelijk nog lang konden maken. Toen staken beide ouders de koppen bij elkaar om te overleggen wat ze zouden doen. Moeder aap stel-de voor: 'Laten we onze dochter naar de koning sturen om voor hem te werken.'

Vader aap vond dit geen goed plan: 'Hoe kunnen we dat nu doen? Onze dochter is een apinnetje, de koning zal haar nooit een plaats in zijn hofhouding geven!'

'Weet je wat?' zei moeder aap. 'Ik zal haar staart over-nemen. Dan heb ik twee staarten en is zij net een mens. De koning merkt nooit dat ze een apinnetje is en dan heeft hij geen reden meer om haar niet aan te nemen. Zo kunnen we ontsnappen aan de hongerdood.'

Het apinnetje meldde zich zonder staart aan bij het huis van de koning, en ze kreeg onmiddellijk werk en eten. Na enkele maanden was ze al flink aangedikt, en de zoon van de koning werd dan ook prompt verliefd op haar. Elke vrijdag ging ze met haar aanbidder naar het huis van haar ouders om er op de binnenplaats te dansen, en ze nam tel-kens een zak maïs mee om hun honger te verdrijven. Ze verzweeg de koningszoon natuurlijk dat dit apenstelletje haar ouders waren.

De zoon van de koning was tot over zijn oren verliefd op het apinnetje en sprak tot zijn vader: 'Ik wil met dat meisje huwen!' Maar de koning antwoordde: 'Het is uiterst ongepast voor jou om een arm meisje te huwen!' De jongen hield echter vol: 'Ze mag dan wel een arm dienstmeisje zijn, maar ik hou van haar!' En hij huwde haar toch.

Ook na de bruiloft gingen ze elke vrijdag dansen op de binnenplaats van het ouderlijk huis van het meisje. Maar ze had het apenkoppel nog steeds niet aan haar man voorgesteld als haar ouders. Wel bracht ze nog wekelijks een zak maïs mee en haar man amuseerde zich kostelijk op die danspartijtjes.

Nog voor er één jaar verstreken was werd het apinnetje zeer hooghartig. Als ze bij de apen op bezoek kwam bekeek ze hen soms niet eens. Soms liet ze een zak maïs achter, maar soms ook helemaal niets. Haar ouders waren boos. Haar vader vroeg zich af: 'Wat moeten we doen?' Zijn vrouw antwoordde: 'We kunnen haar die staart geven, en haar zo terugveranderen in de aap die ze vroeger was. Dan zal het wel uit zijn met haar pretentieus gedrag!'

'Ja, dat moeten we doen!' vond de vader. 'Als ze de volgende keer dat ze komt dansen, geen maïs meebrengt krijgt ze haar staart terug.'

Toen ze die vrijdag weer op de binnenplaats verscheen was haar man er niet bij. Ze groette haar ouders niet eens en had geen maïs bij zich. Haar ouders besloten dus haar opnieuw aap te maken. De volgende morgen gingen ze naar het huis van de koning en zongen daar een lied over de staart:

'Tumpelekee mkia wake
mwana wa nyani
ataka kutuwinga
mangunyali!

Laten we een staart geven
aan het kind van de apen
want ze wil ons verloochenen
en ook haar apennatuur!'

Dit lied werkte zo aanstekelijk dat iedereen die het hoorde onmiddellijk begon te dansen. De hele stad stroomde samen om die wonderlijke apendans te zien en mee te dansen.

Zelfs de dochter was aan het dansen, en nog wel op het dak van het huis van de koning. Haar vader en moeder klommen ook op het dak en dansten met haar mee. De mensen keken verbaasd naar de moederaap met de twee staarten! En tot hun verbijstering zagen ze dat één van die staarten werd vastgemaakt aan het lichaam van de schoondochter van de koning.

Toen haar man thuiskwam vond hij het zeer ongewoon dat zijn vrouw op het dak danste, maar hij schrok zich helemaal een bult toen hij zag dat ze een aap was! Even later sprongen de apen naar beneden en dansten ze de stad uit.

Zodra bekend werd dat de zoon van de koning met een apinnetje gehuwd was, stikten de mensen bijna van het lachen. Zijn vader zei: 'Zie je wel, jongen? Ik had het je verboden, maar je wou niet luisteren!'

'Ik wist niet dat het een apin was!' verdedigde de jongen zich.

En de apenouders gaven hun dochter een standje: 'Hoogmoed komt voor de val. Je hebt je verdiende loon gekregen!' Tja, en toen gingen ze maar vruchten zoeken in het bos.

MEER SPROOKJES VAN UITGEVERIJ ELMAR:

Zigeunersprookjes
Indonesische sprookjes
Indianensprookjes
Vrouwensprookjes
Heksensprookjes
Sprookjes van liefde en verlangen

Per deel 224-276 pag. € 12,50

Aboriginal mythen en sprookjes
Afrikaanse sprookjes
Afrikaanse dierensprookjes
Boeddhistische sprookjes
Chinese sprookjes
Eskimo sprookjes
Indiase sprookjes
Joodse sprookjes
Keltische sprookjes
Maori sprookjes
Masai sprookjes
Mongoolse sprookjes
Nederlandse en Vlaamse sprookjes
Papoea sprookjes
Provençaalse sprookjes
Pygmeeën sprookjes
Surinaamse sprookjes
Tibetaanse sprookjes
Toscaanse sprookjes
Venetiaanse sprookjes

Per deel 144 pag. € 7,--